건강해지려면 "ㅅㅅㅅ" 3가지를 바꿔라

건강해지려면 "ㅅㅅㅅ" 3가지를 바꿔라

발 행 | 2024년 2월 2일
저 자 | 전금성
펴낸이 | 한건희
펴낸곳 | 주식회사 부크크
출판사등록 | 2014.07.15.(제2014-16호)
주 소 | 서울특별시 금천구 가산디지털1로 119 SK트윈타워 A동 305호
전 화 | 1670-8316
이메일 | info@bookk.co.kr

ISBN | 979-11-410-6910-0

www.bookk.co.kr
ⓒ 전금성 2024
본 책은 저작자의 지적 재산으로서 무단 전재와 복제를 금합니다.

건강해지려면
"ㅅㅅㅅ"
3가지를
바꿔라

전 금 성 지음

CONTENT

프롤로그

우리는 매일 아침을 맞이하며 새로운 하루를 시작합니다. 그러나 우리의 일상은 과연 얼마나 건강한가요? 현대인들의 삶은 빠르고 편리하지만 그 속에서 우리는 자신의 건강을 잃어가고 있습니다. 무엇이 문제일까요? 바로 식습관, 생활습관 그리고 생각습관입니다.

이책은 저의 개인적인 경험을 통해 나온 이야기입니다. 오랜 시간동안 제 자신과 주변 사람들이 겪었던 건강 문제와 그 해결 과정에서 배운 것들을 공유하려 합니다.

저는 뿌리내린 나쁜 습관들을 바꾸기 위해 많은 책을 보며 많은 시도를 했습니다. 그 결과 식사 방식부터 일상생활 습관, 마음가짐까지 세 가지 중요한 요소를 변화시키면서 제 몸과 마음에 행복한 변화가 일어났습니다.

저와 함께 이 책을 통해 식습관, 생활습관, 생각습관 세가지를 바꾸는 여정에 동참해보시길 바랍니다. 건강한 삶, 행복한 삶을 위한 첫걸음, 지금부터 함께 시작해 봅시다!

네이버 인물 검색: 전금성 / 닉네임: 웃음샘

- 개인메일: iearlove@naver.com
- 블 로 그: https://blog.naver.com/iearlove

1장
첫 번째 " ㅅ "이야기
식습관

1. 어금니를 위해 발아현미를 먹자

건강한 삶을 살기 위해 가장 기본적인 것은 먹는 것입니다. 현대의학의 아버지인 히포크라테스는 "음식으로 고칠 수 없는 병은 약으로도 고칠 수 없다."고 했습니다.

그만큼 음식이 우리 건강에 미치는 영향은 중대하다고 볼 수 있습니다. 요즘 각종 매체를 보면 "어떤 질병에는 어떤 음식이 좋다."라고 나오면 바로 그 음식들이 동이나는 신기한 일들을 보곤 합니다.

또 건강 관련 일을 하다 보니 건강이 안좋은 분들은 "어떤 것을 먹어야하냐?"고 물어보시는 경우가 정말 많습니다. 그렇다면 우리는 무엇을 먹고 살아야 건강하게 살 수 있을까요?

체질을 따져보고 자신에게 맞는 음식을 먹는 것도 하나의 방법일 것이고 또한 건강에 좋다는 음식들을 챙겨먹는 것도 좋은 방법이겠지만 이 책에서는 보다 근본적인 부분으로 접근을 해보고자 합니다.

음식을 우리는 어디를 통해 섭취하나요? 바로 입을 통해 치아로 음식을 씹어서 섭취하게 됩니다. 그렇다면 우리의 치아구조를 살펴보겠습니다.

세계적인 대장 권위자인 신야히로미 박사(40년간 35만건 내시경 검사진행 및 9만건 이상 수술을 진행한 세계 최초로 대장내시경을 개발한 의사)와 세계 면역학의 권위자 이시하라 유미 박사는 그분들의 저서를 통해 "치아의 구조는 총 32개(사랑니포함)로 어금니 20개, 앞니 8개, 송곳니 4개로 각 비율은 62.5%, 25%, 12.5%이기 때문에 그에 따른 비율로 음식을 먹는 것이 이상적이다."라고 이야기하고 있습니다.

따라서 쉽게 6:3:1의 법칙으로 먹고 사는 것이 가장 이상적이며 창조론적 섭생이라고 할 수 있습니다.

우리 사람의 어금니 모양은 가운데 살짝 홈이 파여 있습니다. 이것은 껍질이 있는 곡식을 먹기 위함입니다. (소에게도 어금니가 있는데 홈이 파여있지 않습니다. 따라서 소는 사료가 아닌 풀을 씹어서 갈아 먹어야 하는 것입니다.)

그러나 요즘 현대인들은 통곡물을 쉽게 섭취하기가 어렵습니다. 식당에 가봐도 집에서도 거의 껍질이 있는 현미보다는 백미로 식사를 하기 때문입니다.

EBS에서 방송된 다큐멘터리 '약이 되는 쌀, 독이 되는 쌀' 편에 보면 2차 세계대전 당시 일본군들이 전쟁보다 더 무서운 각기병에 시달려 죽고 있었을 때 모든 원인이 쌀이었던 것을 알게 되었다고 합니다.

그래서 도정과정 가운데 떨어져나간 가루 즉 미강을 병사들에게 공급하여 각기병이 모두 사라졌다는 내용이 방영되었습니다.

쌀의 전체 영양소의 약 95%는 쌀눈과 쌀겨에 들어 있다고 합니다. 현미는 우리 몸에 필요한 약 45종의 풍부한 영양소를 그대로 간직하고 있기 때문에 우리 몸을 건강하게 만드는 통곡물이라고 할 수 있습니다.

다만 피틴산이라고 하는 독 성분이 일부 들어가 있기 때문에 소화가 어려운 점이 있으니 현미를 발아시키면 싹이 나면서 피틴산이 인과 이노시톨로 바뀌게 되어 식감도 부드러워져 소화도 잘되기에 아주 좋은 통곡물이라고 할 수 있습니다.

더불어 식사를 할 때 꼭꼭 씹어 드신다면 발아현미의 향과 깊은 맛을 느끼실 수 있을 것입니다.

추가적으로 시중에 파는 제품 중 유기농 제품과 친환경 무농약 제품의 차이도 알아보겠습니다.

유기농 제품은 농약을 치지 않고 비료도 화학비료를 쓰지 않은 곳에서 농사를 지은 것이고 친환경 무농약 제품은 농약은 치지 않았지만 비료는 화학비료를 권장량에 1/3 이내로 사용해서 농사를 지은 것입니다. 따라서 유기농 발아현미 제품을 추천해드립니다.

2. 앞니를 위해 채소 과일식을 실천하자

앞니는 채소 및 과일을 씹어 먹기 위해 존재합니다. 현대를 살아가는 우리들은 생명력이 있는 음식, 즉 살아있는 음식을 먹기가 쉽지 않습니다.

대부분이 자연 그대로가 아닌 가공을 하고 불에 익혀 먹기 때문에 죽은 음식이 됩니다. 따라서 살아있는 음식을 먹을 때 건강이 회복될 수 있다고 전홍준 의학박사의 저서 '생명리셋'과 조승우 한약사의 저서 '채소과일식'을 통해 언급되어 있습니다.

그중에서 추천하는 채소 과일은 사과, 당근, 양배추입니다. 가장 좋은 것은 씹어먹는 것입니다. 하지만 바쁜 아침 시간에 식사대용으로 좀 더 수월하게 먹기 위한 방법으로 믹서기에 갈아먹는 것을 추천합니다. 일명 'CCA주스'라고 하는데 위의 채소 과일의 영문 앞글자를 따서 만든 이름입니다.

먼저 사과를 한 개 껍질째 잘 씻어서 씨를 빼고 넣고 간 다음 양배추를 1/5개 넣고 갈고 그 후 당근을 1개 넣어서 함께 갈면 됩니다. 당근은 꼭 세척당근이 아닌 국내산 흙당근을 사서 잘 씻어서 드시는 것이 좋습니다.

사과, 당근, 양배추의 효능에 대해서는 잘 알려져 있으니 간단하게 다뤄보겠습니다.

사과는 "하루에 한 개씩 먹으면 의사가 필요없다."는 서양 속담이 있을 정도로 건강에 많은 도움이 되는 과일입니다. 핵심 성분인 펙틴은 장 속에 나쁜 균의 증식을 막아 변비 개선에 도움을 주며 피부 건강에 좋고 폴리페놀이 풍부해 혈관 건강에도 좋은 영향을 주는 과일입니다.

당근은 비타민A, 비타민C, 베타카로틴이 들어가 있어 시력, 면역력 증진 및 혈관 건강에 도움을 주고 체내 독소를 밖으로 배출해줘서 해독에도 관여한다고 합니다.

양배추는 여러 비타민과 영양성분이 풍부해서 항암효과, 염증 치유효과, 다이어트 및 위장 건강에 도움을 준다고 합니다.

이렇게 3가지 채소 과일을 함께 매일 아침 드시면 정말 좋습니다. 믹서기로 갈아서 드시는 경우에도 잘 씹어서 드시면 음식 고유의 맛도 깊이 느낄 수 있기 때문에 더욱 좋습니다. 사과에 알러지가 있는 분들은 토마토로 대체해서 드시면 되겠습니다.

평소 과일을 드실 때는 식사한 후에 디저트로 드시는 경우가 많은데 좋지 않은 습관이라고 합니다. 밥과 과일은 소화되는 시간이 다른데 밥은 소화되어 소장에서 흡수되려면 2~4시간이 걸리고 과일을 30분정도 소화기간이 걸리기 때문에 과일을 식후에 드시면 위에서 오래 머무르게 되어 부패하면서 가스가 발생하게 됩니다.

그렇게 되면 위가 더부룩하고 위에 들어있는 음식물과 섞여서 부글부글 끓는 것처럼 되어 뱃속이 불편해집니다. 따라서 과일은 식전에 드시는 것이 좋습니다. 앞서 언급한 과일을 믹서기에 갈아드시면 소화 시간이 5분 정도라는 점도 참고하시면 좋을 것 같습니다.

3. 송곳니를 위해 먹는 고기는 수육으로 먹자

송곳니의 용도는 육류를 씹어서 끊거나 찢는데 사용됩니다. 여기서 잠깐 육식동물의 치아를 한번 떠올려보겠습니다. 사자, 호랑이, 악어, 상어 등등... 대부분이 송곳니로 이루어져 있습니다. 따라서 육식(肉食) 동물이라고 부르는 것입니다.

그러면 고기를 어떻게 먹어야할까요? 결론은 수육형태로 기름을 빼고 먹는 것이 좋습니다. 보통은 불판에 기름으로 고기를 구워먹는 경우가 많은데 고기를 기름에 굽거나 튀기면 발암물질을 유발하는 성분(HCAs, 벤조피렌)이 발생하게 됩니다. 따라서 기름이 잘빠진 수육형태로 섭취하는 것이 좋습니다.

또한 조심해야 할 것 중에 하나가 육가공품에 대한 섭취인데 시중에 햄, 소세지 같은 육가공품에는 다양한 합성첨가물이 들어가있는데 그중 가장 위험한 아질산나트륨을 조심해야합니다.

아질산나트륨은 강력한 방부제 성분으로 육가공품을 먹음직스럽게 보이게 하는 합성첨가물인데 소량으로도 치사율이 높은 매우 위험한 합성첨가물입니다.

일본의 식품첨가물 전문가 와타나베 유지는 인류가 만든 최악의 합성첨가물로 아스파탐과 더불어 아질산 나트륨이라고 이야기했습니다. 부득이 섭취해야 한다면 끓는 물에 살짝 데치고 먹는 것이 도움이 된다고 합니다.

따라서 우리는 곡물류:채소과일:육류의 비율을 6:3:1 로 맞춰서 먹는 식습관으로 개선해본다면 보다 건강한 삶을 살아가는데 큰 도움이 될 것입니다.

2장

두 번째 "ㅅ" 이야기

생활습관

1. 쌀쌀해지니 아픔이 왔다: 체온의 중요성

"쌀쌀해지니 아픔이 왔다." 이런 표현은 영화나 시집에서나 볼 수 있는 표현입니다. 건강의 입장에서는 쌀쌀해지니 즉 몸이 차가워져서 체온이 떨어지니 아픔은 곧 병이 온 것임을 의미합니다.

요즘 건강에 대한 관심이 높아지면서 많은 사람들이 체온의 중요성을 인식하고 있습니다. 세계적인 많은 의학계 권위자들도 체온의 중요성을 강조하고 있습니다.

여러분들은 체온이 무엇이라고 생각하십니까? 체온은 생명입니다. 체온은 생명의 시작이자 끝입니다. 사람은 태어날 때 생명을 가지고 태어납니다. 그러나 죽을 때는 생명이 사라집니다.

생명이 있다는 것은 열(熱)이 있다는 것입니다. 열이 있다는 것은 살아있다는 것이고 살아있다는 것은 체온이 있다는 것입니다. 체온이 사라졌다는 것은 죽었다는 것을 의미합니다. 그래서 반드시 체온을 올려야 합니다.

만약 우리의 체온이 낮아지면 각종 질병인 암, 고혈압, 당뇨, 치매, 뇌졸중, 우울증, 아토피, 감기 등 알 수 없는 희귀병 같은 많은 질병이 발생한다고 합니다.

반대로 체온이 1도만 올라가도 앞서 언급한 질병들을 이길 수 있고 자유로워질 수 있다고 한의학 박사 선재광 원장님은 '체온 1도'라는 책을 통해 이야기하고 있습니다.

여기서 체온이라고 하는 것은 심부 속 온도를 이야기합니다. 귀에 체온계를 대고 재서 나오는 온도를 이야기하는 것이 아닙니다.

사람의 정상체온은 몇도일까요? 1년 365일을 기억하면 쉽습니다. 36.5도입니다. 실제로 체온을 재보면 36.5도가 되는 사람은 거의 없다고 합니다. 대부분의 사람들이 35도대에 머무르고 있다고 합니다.

충격적으로 근 50년간 현대인들의 체온이 1도 낮아졌다는 연구결과도 나와 있습니다. 또 현대인들의 90%가 저체온이라고 합니다. 그러니 언제든 병에 걸릴 수밖에 없는 환경에서 살고 있다는 것입니다. 따라서 평소에 체온을 관리하는 습관을 들여야 하겠습니다.

그러면 체온을 올리기 위해 가장 중요한 것은 무엇일까요? 바로 우리 몸의 뿌리인 배꼽 주변을 따뜻하게 하는 것입니다. 어떤 분들은 "나는 몸에 열이 많은데 따뜻하게 하라고?"라며 의아해하는 경우도 있습니다.

그런데 열이 많다는 것은 머리 부분에 열이 많은 것이지 오히려 속은 냉한 사람들이 대부분입니다. 실제로 배를 만져보면 따뜻한 사람은 거의 없다고 해도 무방합니다.

나무의 뿌리가 있듯이 사람에게도 뿌리가 있습니다.

뿌리가 튼튼한 나무는 아름답고 탐스러운 열매를 맺을 수 있지만 뿌리가 약한 나무는 열매를 맺지 못하게 되는 것처럼 사람도 똑같습니다. 그 뿌리가 바로 배꼽입니다.

배꼽은 엄마 뱃속에 있을 때 탯줄을 통해 산소와 영양분을 공급받았던 그곳입니다. 옛날 글을 몰랐던 우리 할머님께서 손주가 아프다고 하면 "할미 손이 약손이다." 하시며 배를 만져주셨고 여름에도 배만큼은 이불로 덮어주셨던 것처럼 배를 따뜻하게 해야 체온을 제대로 관리할 수 있습니다.

그럼 어떻게 하면 배를 따뜻하게 할 수 있을까요? 가장 좋은 방법으로는 온열 돔 제품을 통해 배를 따뜻하게 해주는 것입니다. 온열 돔 제품이 없다면 핫팩이나 온열복대 등을 배에 자주 대고 있는 것도 조금은 도움이 될 수도 있습니다.

또한 족욕을 매일매일 해주는 것도 추천합니다. 더

불어 찬물, 찬 음료수(아이스아메리카노)를 마시지 말고 늘 미지근한 온도로 먹는 습관을 들이신다면 체온 관리에 도움이 될 것입니다.

현대의학의 아버지 히포크라테스는 "약으로 고칠 수 없는 병은 수술로 하고 수술로 고칠 수 없는 병은 열(熱)로 치료하라. 열로도 안되는 병은 영원히 고칠 수 없다."고 이야기했습니다.

그만큼 내 몸을 따뜻하게 하는 것 즉 체온을 잘 관리하는 것이 건강하게 살기 위해 필수적인 요소임을 꼭 기억하시기 바랍니다.

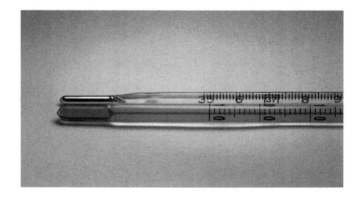

2. (해)독한 놈이 되자!: 다양한 해독법

해독은 우리 몸을 위협하고 있는 각종 독소, 노폐물들을 체외로 배출해주는 것으로 현대인들의 건강한 삶을 위한 필수 요소입니다. 요즘 미세먼지, 합성첨가물 특히 미세플라스틱은 인류의 건강을 위협하고 있습니다.

문제는 이러한 것들이 체내로 들어오면 일부만 배출이 되고 대부분은 누적되어 결국 병을 발생시키는 주범이기 때문에 반드시 해독을 하는 생활습관을 가져야 합니다.

2009년 통계에 따르면 한국인이 1년간 섭취하는 합성첨가물에 양은 24.69kg이라는 충격적인 내용이 보도되었습니다. 2023년 현재는 훨씬 늘어나지 않았을까 추측해봅니다. 합성첨가물에는 단순히 조미료뿐만 아니라 우리가 실생활에서 쓰는 화장품, 샴푸, 각종 세제, 먹는 약, 건강식품 등도 포함되어 있습니다.

이런 합성첨가물을 가장 효과적으로 해결할 수 있는 방법으로 '디톡스'라는 책을 보면 미국 FDA에서는 화학물질 증후군을 해결할 수 있는 유일한 방법은 '땀을 통해서'라고 밝혔다고 이야기하고 있습니다.

소변, 대변, 호흡 등 다양한 배출행위들을 하지만 땀구멍은 300만개나 되기 때문에 땀을 통해 체내의 독소 및 중금속을 배출하는 방법이 최고의 방법이라는 의미일 것입니다.

즉 규칙적인 운동을 해서 또는 사우나, 찜질방 같은 곳에서 땀을 빼는 것도 도움이 되겠지만 땀을 흘릴 때 머리는 뜨겁지만 배는 차가워지는 아이러니한 상황들이 발생합니다. 또한 흘리는 땀에서 냄새가 많이 나기도 합니다.

그러나 좋은 온열 돔 제품을 사용하면 복부에 열이 들어가면서 땀을 내기 때문에 배가 따뜻해지고 흘리는 땀 냄새도 거의 나지 않습니다. 따라서 개인적으로는 온열 돔 제품을 통해 배를 따뜻하게 해서 땀을 내는 것이 좋다고 생각합니다.

시중에 판매되고 있는 온열 돔 제품이 많습니다. 그 중에서 히터나 면상발열체 제품보다는 열 전도성이 좋은 제품인 '양자돔'을 추천합니다. 2010년 노벨물리학상을 받은 신소재 그래핀으로 만들어진 제품으로 배를 따뜻하게 하여 땀을 내는데 탁월한 효과가 있기 때문입니다.

해독 방법 중 추가적으로 '오일풀링'을 추천합니다. '오일풀링'이란 인도의 전통의학인 아유로베다에서 유래된 건강법으로 우리 몸속 특히 입안에 있는 독소는 물에 녹지 않고 기름에 잘 녹는 지용성으로 밤새 입으로 올라오는 독소를 식물성 오일에 녹여서 배출하는 것을 말합니다.

현직의사가 오일풀링의 허구를 밝히려다 오히려 오일풀링의 효과를 의학적으로 밝히게 된 책 '오일풀링'

에서 그 내용을 다루고 있습니다. 전홍준 박사와 틱낫한 스님도 권장하는 건강법인 오일풀링은 최근 의학계에서는 "입안 세균이 많은 병들과 연관성이 있다."고 밝히고 있는 상황에서 좋은 대안이 될 것이라 생각합니다.

아침식사 전에 하는 것이 가장 좋으며 압착유로 해야 합니다. 가열해서 만든 기름은 추천하지 않습니다. 압착유를 입안에 머금고 15분~20분 정도 구석구석 혀로 청소하고 뱉어내는 식으로 하면 됩니다.

그리고 물로 입을 헹군 뒤 양치를 가볍게 하면 됩니다. 주의 사항은 입안에 상처가 있을 때는 피하셨다가 아물고 나면 하시는 것을 추천합니다.

3. 현대인 90%가 만성탈수?: 물을 잘 챙겨 마시기

세상에서 가장 신비한 약이 있다고 합니다. 그 약은 바로 물입니다. 물만 잘 마셔도 80% 병이 낫는다고 합니다. 그런데 요즘 현대인들은 90%가 만성탈수라고 할 정도로 물을 잘 마시지 않는 것으로 조사되었습니다.

현대인들은 매일 스트레스를 받는 상황에서 우리 몸이 필요로 하는 물 대신 커피, 차, 술, 음료수로 대체할 수 있다는 착각을 하기도 합니다.

이런 음료에는 탈수를 일으키는 성분도 포함되어 있기 때문에 우리 몸 안에 저장되어 있는 물도 고갈시킨다고 합니다.

우리 몸속엔 물이 아니면 어떤 것도 순환을 시킬 수 없다고 F. 뱃맨겔리지 의학박사(3천명 이상의 소화기 궤양 환자를 물로 치료한 후 그 임상실험을 책으로 펴낸 의사)는 '자연이 주는 최상의 약, 물' 저서를 통해 이야기하고 있습니다.

우리 몸의 70%는 물로 되어 있고, 근육도 70%가 물로 되어 있습니다. 지구의 표면도 70% 물로 차지하고 있습니다. 그래서 우리 몸은 물로 만들어졌다고 해도 과언이 아닐 것입니다.

물은 우리 몸에서 영양분을 이동하고 면역력을 이동시키며 노폐물을 배출하는 중요한 역할을 합니다.

우리 몸의 신체 장기에 물이 차지하는 비율을 살펴보면 피 94%, 뇌 85%, 간 84%, 신장(콩팥) 83%, 연골 80%, 심장 75%, 근육 70%를 차지한다고 합니다.

그래서 우리는 평소 물을 잘 마시는 습관을 들이는 것이 건강한 삶에 있어서 매우 중요하다고 볼 수 있습니다. 물을 마실 때는 찬물 혹은 뜨거운 물이 아닌 미지근한 온도의 물이 가장 좋습니다.

미지근한 온도의 물은 우리의 엄마 양수물, 모유 그리고 분유를 탈 때 손등에 떨어뜨려 온도를 맞췄던 그 온도입니다. 너무 찬물은 체온을 떨어뜨리고 그 물을 데우기 위해 필요 이상의 에너지를 소모하게 됩니다.

　　그렇게 되면 소화, 해독작용에 쓸 힘을 낭비하게 되기 때문에 피로하게 되고 점점 쇠약해질 수 밖에 없습니다. 너무 뜨거운 물은 구강암, 식도암을 유발할 수 있으니 우리의 체온과 비슷한 미지근한 온도의 물을 가장 좋은 물입니다.

　　미지근한 온도로 물을 마실 때 가장 추천하는 방법은 바로 '생숙탕'을 만들어 마시는 것입니다. 동의보감 탕액편에 허준 선생님께서 물의 성질과 특성을 33가지를 분류해놓았는데 그중 하나가 '생숙탕(음양탕)'입니다.

　　플라스틱 물병에는 찬물을 반정도 넣고 끓인 물을 넣고 뚜껑을 닫은 후 한번 뒤집었다가 다시 뒤집어서 섞이게 합니다. 도자기 컵에는 뜨거운 물을 넣고 찬물을 부어 스푼으로 한번 위아래로 섞어주면 와류현상을 거쳐 생숙탕이 완성됩니다.

우리는 물을 마시게 되면 30초가 되면 피가 됩니다. 그래서 좋은 피로 만들 것인지 나쁜 피로 만들 것인지 자신이 결정하게 됩니다.

'물은 답을 알고 있다' 책을 보면 물에게 "감사합니다. 사랑합니다" 이렇게 칭찬하면서 긍정적인 말을 해주면 예쁜 물 분자로 바뀌게 됩니다. 그래서 물을 마실 때는 꼭 물 만든 분께 감사하면서 물을 마시면 정말 신비한 약이 됩니다.

물을 마시고 60초가 되면 뇌로 10분이 지나면 피부, 20분이 지나면 장기, 30분이 지나면 말초신경으로 가게 됩니다.

다음은 물을 마시는 방법에 대해 설명 드리겠습니

다. (모든 물은 위에 언급했던 생숙탕을 만든 뒤 섭취
하시면 좋습니다.)

- 아침 공복에 500㎖를 나누어 마십니다.
  (250㎖ 마시고, 10분 후 250㎖ 마십니다)

- 물마시고 30분 후 아무 때나 아침식사를 하시면 됩
니다.
  (아침식사는 CCA주스를 강력 추천합니다.)

- 그리고 물은 꼭 식사 후 2시간 있다가 마시면 됩니
다.

- 오전 10시 and 11시 500㎖,
  오후 3시 500ml (소금물)
  (250㎖ 마시고, 10분 후 250㎖ 마십니다)

- 소금물은 점심 식사 후 2시간 후 3시경 한번만 마
시면 됩니다.

- 오후 4시 or 5시 500㎖ 마십니다.

- 500㎖ 마시고 바로 더 마시고 싶으면 꼭 30분 있다
가 마셔야 좋습니다.

    소금을 이야기하면 아직까지도 논란이 많습니다. 짠

음식이 고혈압, 심혈관 질환, 만성 신장 질환 등 성인병의 원인이라며 온통 소금을 줄이기를 권합니다. 그런데 정작 우리가 아파서 병원에 가면 맞는 링겔(수액) 주사의 성분을 보면 0.9%의 NaCl 즉 소금물입니다.

약학박사이자 심혈관 연구 과학자인 제임스 디니콜란토니오는 '소금의 진실' 저서에서 위에 성인병의 범인은 소금이 아니라 설탕이라고 이야기하고 있습니다.

600편이 넘는 방대한 자료를 바탕으로 분석한 과학적인 주장을 토대로 제임스 디니콜란토니오 박사는 저염식의 위험성을 강조하며 충분한 소금 섭취가 건강한 삶에 중요한 키를 가지고 있다고 밝히고 있습니다.

우리가 살아가는데 있어서 소금은 반드시 필요한 중요한 성분입니다. 사람을 구성하고 있는 물질의 70%가 물이고 이 물은 다름아닌 0.9%의 소금물입니다.

물이 내 몸에 들어올 때는 맹물로 들어왔지만 나갈

때는 소금의 도움 없이는 단 한 방울도 맹물로는 빠져나갈 수 없습니다. 눈물, 콧물, 침, 땀, 소변, 대변, 양수 등 이게 다 소금물입니다.

동의보감에 따르면 소금을 약으로 사용했다는 내용이 나오고 민속신약에서는 소금은 하늘이 인류에게 준 천연의 선물이라고 이야기하고 있습니다.

우리 몸의 소금의 농도가 가장 정확하게 유지 되는 장기는 '심장'입니다. 다른말로 소금 염(鹽)자를 써서 염통이라고도 합니다. 고기를 소금에 절여두면 썩지 않는 것과 같은 원리 때문인지 아직까지 '심장암'이란 말을 들어본 적 없을 것입니다.

소금은 위액의 중요성분으로 각 성분들이 혼합되어져 위액인 '위염산'을 만듭니다. 따라서 소금이 부족하면 소화가 안되고 피를 만들지 못하기 때문에 건강한 삶을 살 수 없게 됩니다.

소금이 우리 몸에서 어떤 작용을 하는지 살펴보면 소화작용, 해독작용, 살균작용, 발열작용, 방부제 작용, 삼투압 작용, 심장박동 작용, 노폐물 제거 작용 등을 합니다.

따라서 적절하게 소금을 섭취하는 것이 중요한데 반찬이나 국을 짜게 만들어서 짜게 먹으라는 이야기가 아닙니다. 500ml 물에 커피 티스푼 1스푼의 분량의 소금을 물에 타서 완전히 녹여서 하루 1번 드시면 좋습니다. 이때도 물의 온도는 미지근한 생숙탕으로 250ml 마신 후 10분 후 나머지를 마시면 되겠습니다.

이때 소금은 반드시 정제염이나 천일염이 아닌 고온에 구워서 미세플라스틱과 각종 불순물을 완벽하게 제거하고 미네랄이 풍부하게 들어있는 깨끗한 소금을 드셔야합니다.

이렇게 매일 시간을 맞춰놓고 물, 소금물을 챙겨드신다면 건강한 삶을 살아가는데 큰 도움이 될 것입니다.

4. 신발을 벗어 던지자: 황토길 맨발로 걷는 어싱

  사람은 흙에서 태어나 흙으로 돌아간다는 말처럼 모든 생명의 시작과 끝은 흙으로부터 비롯되었습니다. 옛날부터 사람은 지구의 피부인 대지에 맨살을 맞대고 살아왔습니다. 맨발로 걷고 땅바닥에 앉고 서고 잠을 잤습니다.

  지구상에 존재하는 모든 식물은 땅에 뿌리를 박고 모든 동물들이 땅을 밟고 살아가듯이 우리 인간 역시도 땅을 밟고 살아가야합니다. 그것이 자연과 함께 하는 것입니다.

  그런데 지금은 모든 사람이 부도체의 고무 밑창을 댄 신발을 신고 살아갑니다. 주변은 고층 건물에 시멘트, 아스팔트 등 자연과는 차단된 환경에서 살고 있습니다.

  또한 각종 스트레스, 환경오염, 잘못된 식습관과 생

활습관, 생각습관 등으로 몸안에 활성산소가 많이 발생하고 있습니다. 이 활성산소는 만성질환의 원인이 된다고 밝혀졌습니다.

요즘 유행하고 있는 건강법 중에 '어싱(Earthing)'이라는 것이 있습니다. 이것은 우리가 신발을 벗고 맨발로 땅을 밟는 것을 말하며 '접지'라고도 합니다.

맨발로 땅을 밟게 되면 땅속에 있는 자유전자(음-전하)가 우리 몸에 유입이 되어 활성산소의 주범인 양+ 전하를 중화시켜 건강하게 살 수 있다고 합니다.

제임스 오슈만 박사의 '어싱, 땅과의 접촉이 치유한다' 저서와 20여편의 임상논문들을 통해 밝힌 '맨발걷기숲길힐링스쿨' 운영자인 박동창 박사의 '접지(Earthing) 이론'을 살펴보겠습니다.

맨발로 땅을 걷게 되면 우리 몸에 여러 유익이 있는데 첫 번째로 지압 이론이 있습니다. 땅 위의 돌맹이,

나뭇가지 등을 밟게 되어 온 몸의 지압점과 연결되어 있는 발바닥이 지압이 되면서 혈액순환이 왕성해지고 면역력이 상승한다고 합니다.

두 번째로 지구와 접지를 하게 됨으로 땅의 음-전자가 우리 몸으로 들어오게 됩니다. 그렇게 모든 질병의 원인인 양+전하를 띤 활성산소와 만나 중화가 되기 때문에 각종 만성질환들이 치유하는데 도움이 될 수 있다고 합니다.

세 번째 혈액의 점성을 낮추고 혈류 속도를 상승시켜 심혈관, 뇌질환의 위험을 예방할 수 있다고 합니다.

네 번째 에너지대사 핵심물질인 ATP(아데노신삼인산)의 생성을 촉진하여 항노화 작용에 도움을 준다고 합니다.

다섯 번째 스트레스 호르몬인 코르티솔 분비를 진정시켜 숙면을 돕는다고 하고 여섯 번째는 활성산소의 잃어버린 짝을 찾아주어 염증과 통증을 치유한다고 합니다.

일곱 번째 면역체계가 정상작동할 수 있도록 도와 면역력을 증가시켜 준다고 합니다. 마지막으로 발바닥 아치의 스프링작용, 혈액펌핑작용 등이 정상적으로 작동하여 건강한 삶을 살 수 있도록 돕는다고 합니다.

맨발로 걷는 여러 장소 중에서 황톳길을 추천합니다. 이 지구상에서 가장 오래된 구성분은 흙이고 그중에서도 황토는 흙에 근원이며 지구 표면에 있는 60여 종의 흙 가운데 가장 우수한 광물질로 평가받고 있습니다.

흔히 황토를 일컬어 '살아있는 생명체'라고 하는데 그 이유는 황토 1스푼에 무려 2억마리의 이로운 미생물이 서식하고 있기 때문입니다. 황토 속에 있는 다양한 미생물들은 유기물을 분해하는데 분해된 유기물은 인간의 질병을 치료하는 약품으로도 활용되고 있습니다.

　황토는 가열하지 않은 상태에서는 일반 흙과 비슷하나 가열을 하게 되면 원적외선 방사율이 90% 이상이 되고 인체에 가장 유익한 파장(8~11μm)으로 피부 깊숙이 침투하며 인체에 흡수될 때 일반 열보다 80배나 깊숙이 스며든다고 합니다.

　황토를 물에 풀었을 때 황토는 가라앉고 위에 뜬 물을 지장수라고 하는데 무독하고 물맛이 뛰어난 것으로 알려져 있습니다.

　이러한 황토로 만든 지장수에 대해 동의보감에서 "모든 독을 치료하며 특히 산중에 독버섯에 중독되었을 때 오직 황토 지장수를 마셔야만 낫는다."고 했으며 본초강목에서는 "물고기, 고기, 과실, 채소, 버섯 등의 독을 모두 해독한다."고 할 만큼 정화 및 해독의 능력도 뛰어난 것으로 알려져 있습니다.

이렇게 맨발로 어싱을 하는 것은 최소 40분이상 해야 효과를 볼 수 있으며 여름보다 추운 겨울철에는 더 효과가 있다고 합니다.

겨울철에 어싱을 할 경우에는 두툼한 양말의 바닥을 가위로 잘라서 발바닥 면이 일정부분 땅에 닿을 수 있도록 신고 걸으면 좋으며 어싱 후에는 반드시 찬물로 발을 씻은 후 서서히 따뜻해지도록 해야한다는 점을 꼭 기억하시기 바랍니다.

5. 바람으로 목욕하자: 풍욕

풍욕은 프랑스 의학자였던 샤를 로브리 박사가 창안한 것으로 일본의 니시 건강법에 의해 소개되면서 국내에도 알려지게 되었습니다. 풍욕이란 말그대로 "바람(공기)으로 목욕을 한다."는 뜻입니다.

사람은 피부로도 호흡을 하고 노폐물을 배출하는데 옷을 입기 때문에 피부가 공기를 통해 정화할 기회가 없습니다. 따라서 일정시간을 내어 옷을 벗고 통풍이 잘 되는 곳에서 신선한 공기에 신체를 노출시켜야 한다고 합니다.

국내 명의 중에 한명인 하나통합의원 전홍준 박사는 '생명리셋' 저서에서 풍욕은 피부를 통해 몸속 노폐물이 밖으로 배출되고 외부로부터 신선한 산소와 질소가 들어와 피가 깨끗해지고 혈액순환이 좋아지게 되어 암뿐만 아니라 류머티즘, 심장병, 만성 간질환, 만성신장질환, 소화성궤양, 알레르기, 만성 피부병 등 모든 만성

질환에 효과가 있다고 밝히고 있습니다.

풍욕을 하는 방법은 먼저 창문을 열어 공기가 잘 통하게 한 후 겉옷, 속옷까지 완전히 벗은 후 담요나 이불을 덮고 시작합니다. 그 다음 일정시간에 맞춰 담요나 이불을 덮었다가 열어젖히기를 반복합니다.

해 뜨기 전과 해가 진 후에 하는 것이 좋으며 총 시간은 약 30분 정도 소요됩니다. 풍욕을 한 후에는 목욕해도 좋지만 목욕을 한 직후에는 효과가 없으며 최소 1시간 후에 하셔야합니다. 또한 식전에는 상관없지만 식후에는 30~40분이 지난 후에 하는 것이 좋습니다.

위 책에서는 풍욕을 계속하다 보면 여러 호전반응이 일어나는데 피부 발진이나 가려움증이 있을 수 있다고 이야기합니다. 이는 몸속의 노폐물, 독소가 피부를 통해 배출되는 좋은 신호이기 때문에 얼마 가지 않아 사라지니 걱정할 필요가 없으며 곧 기분이 상쾌해지고 몸이 가벼워지며 피로가 회복되는 것을 경험할 수 있다고 기록되어 있습니다.

풍욕을 하는 방법을 다음의 표로 정리해 놓았습니다. 이를 참고하셔서 매일 실천해보시기를 바랍니다. 유튜브 영상에도 풍욕에 도움이 되는 영상을 활용하셔서 틀어놓으시면 종소리가 울리고 그 종소리에 따라서 담요나 이불을 덮었다가 열어젖히기를 하시면 편하게 풍욕을 하실 수 있을 것입니다.

유튜브 영상은 '의사 김진목과 함께하는 풍욕영상' 또는 '암환자 면역력을 높이는 풍욕'을 추천해드립니다.

풍욕 시간표

횟수	나체로 있는 시간	담요(이불)를 덮는 시간
1	20초	1분
2	30초	1분
3	40초	1분
4	50초	1분
5	1분(60초)	1분 30초
6	1분 10초	1분 30초
7	1분 20초	1분 30초
8	1분 30초	2분
9	1분 40초	2분
10	1분 50초	2분
11	2분(120초)	담요를 덮고 2~3분 있다가 옷을 입고 쉬시면 됩니다.

3장
세 번째 "ㅅ" 이야기
생각습관

1. 유유상종: 긍정적인 생각의 중요성

생각은 우리의 삶을 결정짓는 강력한 힘입니다. 우리의 생각은 행동을 이끌어내고 그 행동이 또다시 생각을 만들어냅니다. 이렇게 반복되는 과정 속에서 우리는 스스로를 형성하게 됩니다.

그럼에도 불구하고 많은 사람들이 자신의 생각에 대해 충분히 주목하지 않습니다. 오늘 저는 여러분께 '생각'이 어떻게 건강에 영향을 미치는지를 설명하고자 합니다.

"유유상종(類類相從)"이라는 고사성어가 있습니다. 이것은 비슷한 성질을 가진 것끼리 모인다는 의미입니다. 사람과 사람 사이에서도 마찬가지로 동일한 원칙이 적용됩니다.

긍정적인 생각과 감정을 가진 사람들은 자연스럽게 긍정적인 에너지를 가진 사람들과 모여든다고 할 수 있습니다.

양자물리학의 입장에서 본다면 이러한 현상에 대해 좀 더 깊게 탐색할 수 있습니다. 인간의 기본 구조 단위는 세포입니다. 세포를 쪼개면 분자가 되고 분자를 쪼개면 원자가 됩니다. 원자 안에 있는 전자와 양성자는 전기적인 성질을 지니며 서로 상호작용합니다.

마치 자석처럼 서로 밀어내고 서로 당기듯 인간도 비슷한 원칙으로 동작합니다. 이처럼 우리의 생각과 감정도 일종의 '파장'을 생성하며 이 파장은 주변 환경과 상호작용합니다.

우리가 긍정적인 생각을 하면 그와 같은 주파수를 가진 환경과 사람들에게서 긍정적인 반응을 유발합니다. 반대로 부정적인 생각은 부정적인 결과를 가져올 가능성이 높습니다.

이렇게 우리의 생각과 감정은 우리가 어떤 사람들과

어떤 환경에 노출되는지를 결정짓는 중요한 요소가 됩니다.

이러한 이유로 긍정적인 생각을 가지고 그것을 행동으로 옮기는 것은 매우 중요합니다. 긍정적인 사람들은 그들의 생각이 그들의 행동을 이끌어내며, 이런 행동이 다시 건강한 삶을 만들어냅니다.

한 심리학 연구에 따르면, 긍정적인 사고방식은 스트레스를 줄여주고 면역체계를 강화하며 심지어는 우리의 수명까지 연장시키는 것으로 밝혀졌습니다. 따라서 건강해지기 위해서라면 우리의 '생각습관'부터 바꿔야 합니다.

긍정적인 사고방식을 유지하는 것은 쉽지 않습니다. 일상생활에서 마주하는 여러 도전과 문제 때문에 부정적인 생각에 빠질 수 있습니다.

하지만 기억해야 할 것은 그럼에도 불구하고 우리가

얼마나 자신의 마음과 정신 상태를 관리하느냐가 결국 우리의 건강과 행복을 좌우한다는 점입니다.

건강해지려면 "ㅅㅅㅅ" 3가지를 바꿔라 중 마지막으로 강조하고 싶은 것은 바로 "생각습관"입니다. 많은 연구와 경험이 보여준 바와 같이, 긍정적인 생각습관을 가진 사람들이 건전한 정신 상태와 좋은 건강 상태를 유지할 가능성이 높습니다.

성공자가 되기 위한 필독서 중 '정상에서 만납시다.'의 저자 지그 지글러는 "아주 작은 긍정적인 생각만으로 당신의 하루 전체가 변화될 수도 있다는 것을 기억하라!"는 명언을 남겼습니다.

따라서 자신의 생각습관을 주목하고 그것을 긍정적인 방향으로 조절하는 습관을 가진다면 더욱 건전하고 행복한 삶으로 나아가게 될 것이라 확신합니다.

2. "겨드랑이를 간지럽혀라!": 웃음치료의 놀라운 기적

웃음은 최고의 약이라는 말을 들어보셨나요? 이것은 그저 흔한 속담이 아닙니다. 웃음은 우리 몸과 마음에 놀라운 변화를 가져오며 건강에 많은 도움을 줍니다.

웃음치료는 고대 그리스 시대부터 의학적 치료법으로 사용되었습니다. 당시 병원에서는 환자들이 웃도록 만드는 코미디 공연을 자주 가졌다고 합니다.

현대에 와서도 이러한 관행은 사라지지 않았습니다. 실제로 많은 연구들이 웃음이 신체와 정신건강에 얼마나 긍정적인 영향을 미치는지를 밝혀내고 있습니다.

100년전 중국은 새의 깃털로 환자에게 간지럼을 태워 치료했으며 옛날 우리 임금들은 장수하기 위해 웃음내시를 불러 웃는 시간을 가졌다는 기록도 있습니다.

한 조사에 따르면 "웃음은 억지로 웃는 것도 진짜

웃는 웃음과 비교했을 때 약 90%의 효과가 있다."라고 밝혀냈습니다. 실제로 그러한지 한번 테스트해보겠습니다.

오른손을 앞으로 내밀어보겠습니다. 내 손안에 신과일인 '레몬'이 있다고 생각해봅시다. "하나, 둘, 셋!" 하면 이 레몬을 한입 베어 먹어보겠습니다. "준비! 하나, 둘, 셋~~" 어떠신가요? 엄청 신 느낌이 나면서 몸이 움츠려들죠?

이번엔 반대로 왼손에 맛있는 과일 홍시가 있다고 생각해 보겠습니다. 역시나 "하나, 둘, 셋!"하면 한입 베어 먹어보겠습니다. "하나, 둘, 셋~~" 잘익은 홍시의 맛이 어떠신가요? 매우 달콤하시죠?

방금 신과일 '레몬'을 먹고 바로 달콤한 과일 '홍시'를 먹었습니다. 그런데 실제로 과일을 먹었나요?

아니죠!!! 근데 분명 레몬을 먹었을 때는 "시다!"

하면서 내 몸이 떨리면서 신 것에 대한 반응이 왔고 불과 몇 초 지나지 않았는데도 단 과일 먹으니 금방 "달다!" 하면서 기분이 좋아집니다.

이처럼 우리의 뇌는 실제로 하지 않았어도 생각하면 그에 해당하는 반응이 오게 되어있다고 합니다. 웃음도 내가 웃을 상황이 아니지만 웃게 되면 뇌는 웃기는 상황으로 알고 웃게 되고 거기에 해당하는 몸에 좋은 호르몬을 분비하게 되는 것입니다.

웃음의 종류는 다양한데 대표적으로 폭소, 홍소, 박장대소, 포복절도가 있습니다. 폭소는 갑자기 터지는 웃음을 이야기하며 홍소는 얼굴이 붉어질 정도로 웃는 것을 말합니다. 박장대소는 큰소리로 박수치면서 웃는 웃음을 이야기합니다.

포복절도는 웃음이나 즐거움이 너무 크게 들어와서 몸을 뒤틀며 웃는 상태를 뜻합니다. 이 때 몸을 흔들어주기 때문에 개인적으로는 한번씩 포복절도를 하면서 웃는 것도 좋다고 생각합니다.

그럼 웃음에는 어떤 효과가 있을까요? 웃음은 스트레스 호르몬인 코르티솔을 줄여줍니다. 이로 인해 스트레스가 감소하고 그 결과 면역체계가 강화됩니다. 따라서 우리의 몸은 질병과 잘 싸울 수 있게 됩니다.

두 번째로 웃음은 크게 1번 15초만 웃어도 우리 몸에서 엔돌핀, 엔케팔린, 도파민, 세로토닌 등 21가지 호르몬을 분비하게 만듭니다. 그 중 엔돌핀은 '자연의 진통제'로 알려져 있으며, 통증을 완화시켜주고 기분을 좋게 만들어줍니다.

세 번째로 웃음으로 인해 우리의 심장과 폐가 활발하게 동작합니다. 이것은 마치 경량 유산소 운동 효과와 같아서 혈액순환 개선에 도움이 됩니다.

네 번째로 웃음은 사회적 유대감을 강화시켜줍니다. 함께 웃으면 서로에 대한 친밀감과 연결성이 생기며,

이것이 다시 긍정적인 에너지를 발산하여 대인기피와 용기 부족, 심지어는 우울증을 완화시키는 데 도움이 됩니다.

마지막으로 웃음은 우리의 생각 방식에도 영향을 미칩니다. 웃음은 긍정적인 사고를 촉진시켜주며, 이것이 다시 우리의 전반적인 행복감과 만족도를 높여줍니다.

웃음은 혼자 웃을 때보다 여럿이 함께 웃으면 그 효과가 33배로 커집니다. 잘 웃으면 8년을 더 살 수 있으며, 늘 감사하고 칭찬하며 긍정적으로 살면 6년을 회춘하게 되는데 그 근거는 면역을 증강시키는 백혈구와 NK세포가 증가하기 때문입니다.

대한민국 웃음치료 창시자인 한광일 박사는 "우리는 '성공과 실패'라는 양면의 손을 늘 가지고 다닙니다. 손등에 실패와 불행, 고통, 슬픔이 있다면 손바닥에는 성공과 행복, 건강, 기쁨이 있어요. 손바닥보다는 손등을 보기가 쉽죠. 많은 사람들이 움켜쥐고 긴장하며 손바닥에 있는 행복을 모르고 살아요. 움켜쥐고 가지려는 마음보다 펼쳐서 나누는 마음을 가져보세요. 행복은 성취 대상도 아니고 저 멀리 있는 환상도 아닙니다. 손바닥 안의 행복을 다만 깨닫고 있지 못할 뿐이에요. 그것을 깨닫는 순간 비로소 행복이 시작됩니다. 웃음은 움츠린 마음을 여는 열쇠예요."라고 이야기했습니다.

이처럼 웃음은 단순히 기분 좋은 감정만을 주는 것이 아니라 심리적 건강뿐만 아니라 신체적 건강에도 긍정적인 영향을 미칩니다.

손바닥에 숨어 있는 행복은 웃음으로 깨닫는 순간 드러나며, 그 순간부터 진정한 행복과 건강이 시작됩니다. 이처럼 '움츠린 마음'을 여는 열쇠인 '웃음'의 힘을 잊지 말고, 일상 속에서 적극적으로 찾아내길 바랍니다. 긍정적인 생각 가지기와 웃음 실천을 통해 우리는 진정한 의미의 성공과 행복, 그리고 건강까지 얻어낼 수 있을 것입니다.

윌리엄 제임스 " 행복해서 웃는 것이 아니라 웃어서 행복하다!"

3. 생각을 바꾸는 다양한 시도: 실제 연습

3장에서는 '생각습관'이 우리의 삶에 어떤 영향을 미치는지에 대해 이야기했습니다. 그렇다면 이제 우리의 생각습관을 바꾸기 위한 다음 단계로 주변 환경을 새롭게 만드는 방법에 대해 알아보겠습니다.

왜냐하면 우리의 생각과 행동은 종종 주변 환경에 의해 크게 영향받기 때문입니다.

환경은 단순히 우리가 사는 공간만을 의미하는 것이 아닙니다. 그것은 우리가 어떤 사람들과 어디에서 시간을 보내는지, 무엇을 보고 듣고 느끼는지 등 여러 가지 요소를 포함합니다.

따라서 자신의 생각습관을 바꾸려면 일상생활에서 환경 변화를 시도하는 것도 중요한 방법 중 하나입니다.

그렇다면 실제 생활에서 활용해볼 수 있는 몇가지를 제안해보겠습니다.

첫 번째로 '1815운동'입니다. 하루에 8번, 한 번에 15초 동안 웃는 이 운동은 당신의 일상에 긍정적인 변화를 가져올 것입니다. 아침에 일어나서 거울 앞에서 자신의 이름을 부르며 "오늘도 행복하게 살자!"라고 외치며 웃어보세요. 하루의 시작이 바뀔 것입니다.

아침, 점심, 저녁 식사 전 밥과 반찬을 보면서 "밥과 반찬아~ 고맙다. 내몸에 들어와서 나를 건강하게 해줘~"하면서 15초를 웃습니다. 식후에는 "잘 먹었습니다!"하며 웃습니다. 소화가 너무너무 잘 될 것입니다.

그리고 잠자기 전 나 자신에게 "나는 날마다 나아지고 있다!"라는 외치면서 오늘 하루 수고한 나 자신에게 15초 박수치며 웃어주면 됩니다. 평안한 잠자리가 보장될 것입니다.

두 번째로 '감사노트 작성하기'입니다. 매일 종이 한 장과 펜을 준비해서 그날 감사했던 것들을 적어보세요. 그것이 아무리 사소한 것이라도 상관없습니다. 감사하는 마음은 우리의 생활을 긍정적으로 바꾸는 데 큰 역할을 합니다.

세 번째 '그날의 웃음 주제 정하기'입니다. 매일 다른 주제를 정해서 그 주제와 관련된 것들을 볼 때마다 웃어보세요. 예를 들어 "오늘은 나무를 볼 때마다 웃자!"라고 결정한다면, 나무를 볼 때마다 웃음을 지으며 긍정적인 에너지를 느껴보세요.

네 번째로 '유머 배워서 활용하기'입니다. 매일 한 가지 유머나 재미있는 이야기를 배워서 만난 사람들과 공유하세요. 이것은 당신과 주변 사람들 모두에게 기쁨과 웃음을 선사할 것입니다.

마지막으로 '건강한 모습 상상하기'입니다. 잠자기 전 건강 회복 후의 모습이나 꿈과 목표가 이루어진 성공한 모습 등 자신이 바라는 이미지를 상상해 보세요. 그리고 마음껏 표현해보세요. 웃음이 절로 나올 것입니다. 그날에 대한 예행연습의 효과가 있을 것입니다.

위와 같은 방법들로 생활 속에서 웃음 짓고 긍정적인 마음가짐을 가져보세요. 웃음과 긍정적인 생각은 건강에도 큰 도움이 되니 이를 꾸준히 실천하는 것이 중요합니다. 이런 작은 변화들이 모인다면 여러분들의 삶에 건강과 행복이 가득해질 거라 확신합니다.

작가의 말

저는 아내의 아픔으로 인해 오랜 기간 동안 어려운 시간을 보냈습니다. 제 아내가 아프게 지낸 시간 동안, 저는 그녀를 돌보고 치료에 최선을 다하면서 많은 경험을 하였습니다.

그리고 그 경험을 통해 우리가 건강하게 살기 위해 반드시 바꿔야 할 3가지가 있음을 깨달았습니다. 그것은 바로 식습관, 생활습관, 그리고 생각습관입니다.

우리의 식습관은 우리 건강에 매우 중요한 영향을 미칩니다. 올바른 식단과 균형 잡힌 영양소 섭취는 우리의 몸과 마음을 건강하게 유지하는 데 도움을 줍니다. 이 책에서는 건강한 식습관을 가질 수 있는 방법과 식단 조절의 중요성에 대해 다루고 있습니다.

또한, 생활습관 역시 우리의 건강에 큰 영향을 미칩니다. 충분한 해독, 규칙적인 운동, 스트레스 관리 등은 우리의 신체적, 정신적 건강을 좌우하는 중요한 요소입니다. 이 책은 건강한 생활습관을 형성하고 유지하는 방법에 대해 알려줄 것입니다.

마지막으로, 생각습관은 우리의 건강과 행복에 큰 영향을 미칩니다. 긍정적인 생각과 자기 성찰은 우리가 어떤 상황에서도 긍정적으로 대처하고 자신을 발전시킬 수 있게 도와줍니다. 이 책은 건강한 생각습관을 기를 수 있는 방법과 마인드 컨트롤에 대해 다루고 있습니다.

'건강해지려면 "ㅅㅅㅅ" 3가지를 바꿔라' 이 책이 여러분의 건강과 행복을 위한 작은 동반자가 되기를 바랍니다. 건강은 우리의 소중한 자산이며, 건강과 행복은 변화하는 모두가 가질 수 있는 선물입니다. 함께 건강하고 행복한 삶을 이루어가는 여정에 동참해 주셔서 감사드립니다.